6

HIROMU ARAKAWA

ALPHONSE ELRIC

EDWARD ELRIC

ALEX LOUIS ARMSTRONG

ROY MUSTANG

LOS HERMANOS ELRIC, *Edward y Alphonse, intentaron resucitar a su madre mediante la alquimia cuando eran unos niños.*

Sin embargo, la transmutación falló y Edward perdió la pierna izquierda y a Alphonse, su hermano pequeño.

Tras muchos esfuerzos, logró transmutar y retener el alma de su hermano en el interior de una armadura, a cambio de perder su brazo derecho: un precio demasiado alto.

Entonces, los dos hermanos prometieron recuperar todo

FULLMETAL ALCHEMIST

PERSONAJES
FULLMETAL ALCHEMIST

WINRY ROCKBELL

IZUMI CURTIS

GLUTTONY

LUST

PINAKO ROCKBELL

ENVY

ÍNDICE

Capítulo 22
EL HOMBRE ENMASCARADO

¿CREES QUE ESTARÁN BIEN?
DICEN QUE NO HAY MAYOR CONOCIMIENTO QUE EL QUE SE ADQUIERE DESDE LA EXPERIENCIA.
UNO DE LOS PRINCIPIOS BÁSICOS EN LA FORMACIÓN DEL ALQUIMISTA ES ECHARLE AGALLAS A LO QUE PUEDA PASAR.
SI NO APRENDEN NADA DE TODO ESTO, ES QUE NO ESTÁN PREPARADOS.
Y NO PODRÁN SER MIS APRENDICES.
ESOS CHICOS ESTABAN DESESPERADOS, Y SUPONGO QUE PASARÁN LA PRUEBA.
TEN, YA HE ACABADO.
ZAAAAS

YA.
PERO YO ESTOY MÁS PREOCUPADO POR LO QUE LES PUEDA PASAR.
ZAP

CUANDO ME ENTRENÉ, ME SOLTARON EN EL MONTE BRIGGS TODO UN MES.
NO TE COMPARES CON UNA PERSONA NORMAL Y CORRIENTE, MUJER.

EN COMPARACIÓN, LO DE ELLOS ES UN JUEGO DE NIÑOS.
YA, PERO SIGUEN SIENDO SÓLO UNOS NIÑOS...
¡TAMPOCO SE VAN A MORIR!
NI SIQUIERA DE FRÍO, PORQUE ESTÁN EN EL SUR. Y TIENEN COMIDA DE SOBRA.
MEAT
ADEMÁS, EN AQUELLA ISLA NO HAY ANIMALES SALVAJES QUE PONGAN SU VIDA EN PELIGRO.

¡UAGH!
¡¡AARRRG!!
GRRRRR
RRRRRR

ZOOOONK
CRASH
AH...
PLOOOOSSH

¡SE-
RÁS...!
ZAK
GRRRRR
UY...

PATAAM
ZUMM
¡¡UAHH!!
¡AH!
UGH
ZUMM
¡QUÉ
DA-
ÑO!
AAAAY...
CRAJS
¡

ZAAAAMMM
CRASH
NO LA PUEDO ESQUIVAR...
ZUMM
¿EIN?

?!
ZUMM
!
¡AY, AY, AY, AY!
¡ME HE HECHO DAÑO, PERO ME HE SALVADO!

ZOOOONK
¡UAH!

ARF
ARF
ARF
AN-DÁ...
¿AL?

NO SE TE HABRÁ OCU-RRIDO PERDER-TE JUSTO AHORA...
¿AL?
ZAAASH
?!

GRRRR
GRRRR
TROMP

¡SOY YO, ED!
¡UAAAAAH! ¡NO ME COMAS, QUE ESTOY ASQUEROSO!
¡¡AARGH!!

SHHH
¡¿AL?! ¡MENUDO SUSTO ME HAS DADO!

TROMP
TROMP

¡QUÉ MIEDO!
¡¡MOGO-LLÓN!!
¿QUIÉN ERA ESE TÍO?

AGH
AGH
¿NO HABÍA DICHO QUE AQUÍ NO HABÍA BESTIAS?
ERA PEOR QUE UNA BESTIA...

¿QUÉ HACEMOS?
TODAVÍA FALTA UN MES PARA QUE NOS VENGAN A BUSCAR.

EN FIN...
NO VAMOS A CONSEGUIR NADA CON EL ESTÓMAGO VACÍO.

ZAP
¡LO ATRAPÉ!
¡¡TENEMOS COMIDA!!
¡LA TRAMPA MÁS TONTA HA FUNCIONADO!

BUEEE-
NO...
¿CÓMO NOS LO VAMOS A COMER?
HMMM...
¡DEGO-
LLÁN-
DOLO!
¿DEGO-
LLÁN-
DOLO?
GLUPS

BRRR
BRRR

¡TE TOCA A TI!
¡HALA! ¡¡HAZLO TÚ!!
GLUBS
¡NUNCA HE MATADO A UN ANIMAL!
¡NI YO!
AGH
AGH
¡SIEMPRE ME TOCA HACER LA PEOR PARTE!
AGH
AGH
¡QUÉ MORRO!
ZAS
ZAS

¡¡UAHH!!
¡¡ALTO AHÍ!!
TAP
TAP TAP

¡COMIDAAA!
¿DÓNDE ESTÁAAS?
¡¡ED!!

MIRA...
TENÍA CRÍAS.

¿ERA... UNA MA-DRE?
S-SÍ...

CHUP ÑAM
GROOOUMPF
ÑAM CHUP

...
PASO DE LA CARNE, PREFIERO PESCADO...

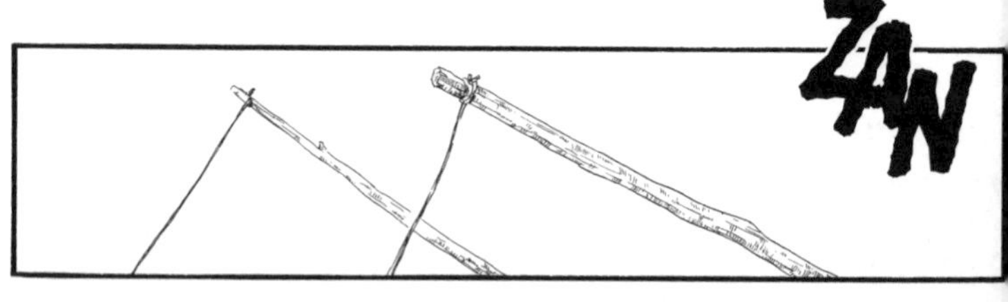
ZAN

CRAAA CRAAA
FIUUUUUUUUUUUUU

GROOOOOOOOOOOOOOOO
¿Y SI NOS COMEMOS A LA ZORRA?
TRANQUILO...
¡EY!
ZIIIP

¡¡PICÓ!!
¡JIAAAAA!
¡¡FUEGO!!
¡¡COMIDA!!

¡¡A ZAMPAR!!
TROMP

GRRRRRRR
¡¡HA VUELTO!!
FUSH

¡EY!

AAAH...
¡¡NUES-
TRA CO-
MIDA!!
¡MALDITO!

ZAAS
THONK
¡HALA!

ARGH
¡¡AL!!
TUMP
ZOMP

¡¿CÓMO TE ATREVES A PEGARLE?!

PATAM
ES MI ISLA.
ÑAM ÑAM
¡¡LARGO DE AQUÍ!!

SI NOS...
VAMOS DE AQUÍ...
NO PODREMOS...
...ENTRENARNOS.

¡UAGH!
!!
SUÉL-
TAME...
ASQUE-
ROSO...
UGH
FAAAM
GUSANO...

QUÉ
DAÑO
ME HA
HECHO
ESE
IMBÉ-
CIL...
CHAP
¡QUÉ
RA-
BIA!
AHORA
SÍ QUE
ME MUE-
RO DE
HAM-
BRE...
CHAP
CHAP

UGH
CHAP CHAP

¡NO PIEN-SO REN-DIR-ME!
CHOP CHOP CHOP

¡¡FAL-TAN 28 DÍAS!!
ZAK

OYE...
¿A QUÉ HABÍAMOS VENIDO?
PSE...

CRII CRII CRII
PLAS
JO...

¿QUÉ PASARÁ...
...SI NOS MORIMOS AQUÍ?
HALA, NO... LA ABUELA Y WINRY SE PONDRÍAN MUY TRISTES...
Y TODAVÍA QUIERO HACER MUCHAS COSAS.

Y ENTONCES...
¡¿QUÉ TIENE QUE VER TODO ESTO CON LA ALQUIMIA?!

¡ES-TOY HAR-TO!
¡QUIERO IRME A CASA!
TAP

¡LE-VAN-TA!
¡LU-CHA!
¡SI NO PUEDES LUCHAR, LÁRGA-TE!

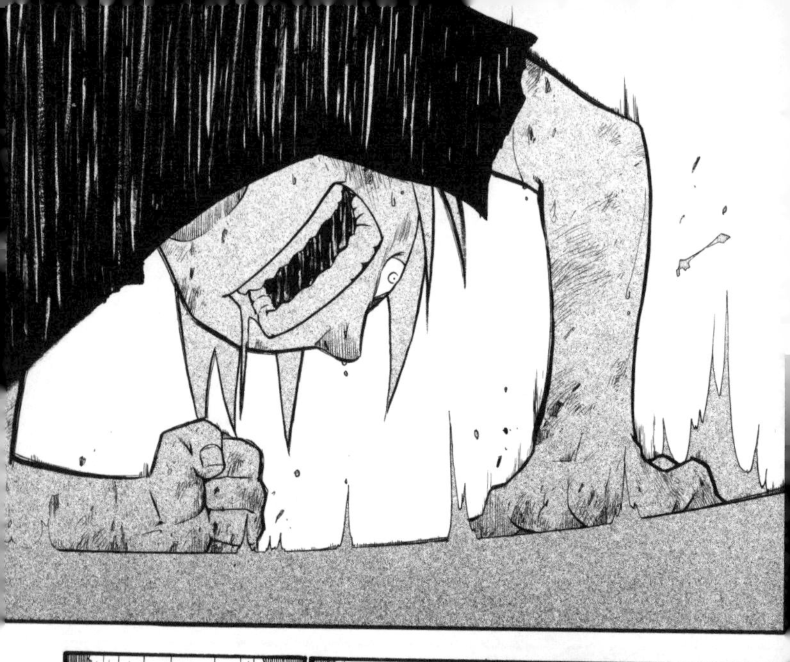

CHOP

CRIII
CRIII
CRIII
BZZZ
CRIII
CRIII
CRIII
BZZZ

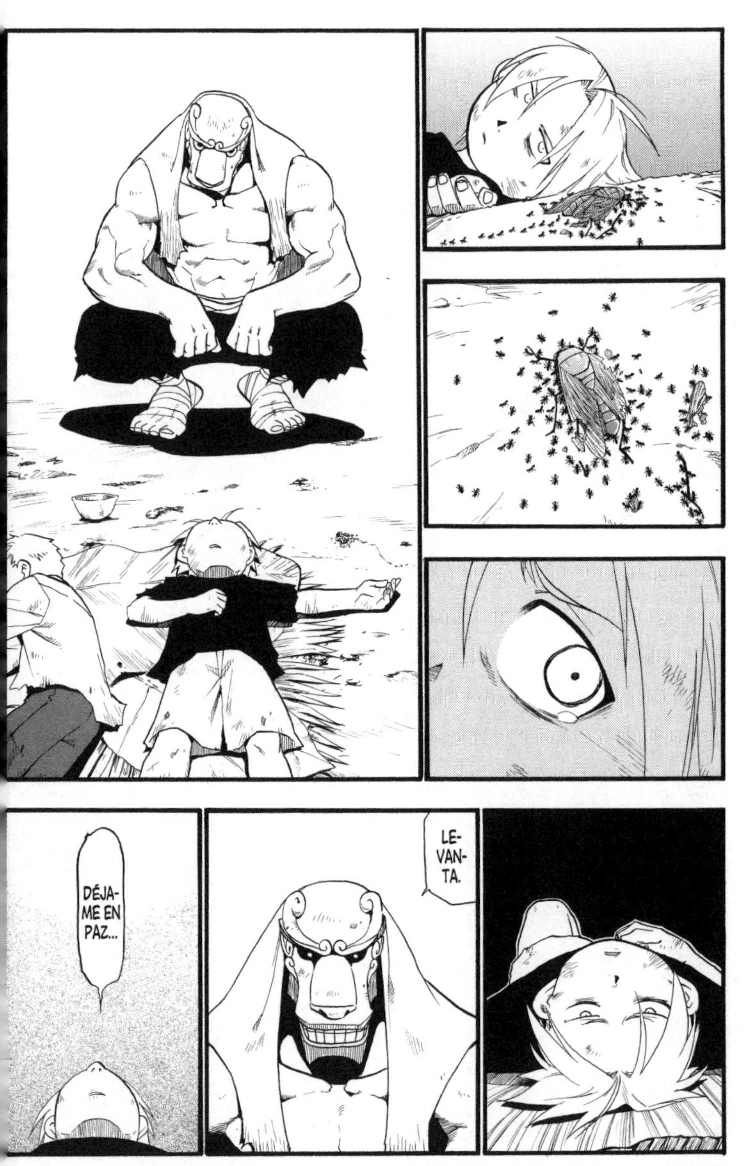
LE-VAN-TA.
DÉJAME EN PAZ...

LU-CHA.
SI VAS A MATARME, MÁTAME.
¿QUIE-RES MORIR?
NO...
NO QUIE-RO...
NO QUIE-RO MO-RIR...
¡NO QUIE-RO MO-RIR!

PLAC

ÑAM ÑAM ÑAM

ÑOM
SNIF
ÑOM
GROMP
ÑOM
ÑOM
SNIF
GROMP
ÑOM
GROMP
ÑOM
SNIF
ÑOM
GROMP

ESTUVIMOS HABLANDO DE QUÉ PASARÍA SI MURIÉRAMOS AQUÍ.
CHAP CHAP

SÍ, TODOS SE QUEDARÍAN MUY TRISTES.
ESO ES UN POCO SUBJETIVO.
OBJETIVAMENTE, SI NOS MORIMOS EL RESTO DEL MUNDO SEGUIRÁ COMO SI NADA HUBIESE PASADO.
QUÉ EXISTENCIA TAN MINÚSCULA...
¡¡NO ME LLAMES MINÚSCULO!!
CLONC
¡NO, HOMBRE!

BUENO... PERO SI NUESTRA MÍSERA EXISTENCIA MUERE, AL MENOS QUEDARÁN LOS CUERPOS.
AGUA, CARBONO, AMONÍACO, CAL, FÓSFORO, SAL, NITRATO...

AZUFRE, MAGNESIO, FLÚOR, HIERRO, SILICIO, MANGANESO, ALUMINIO...
SPLASH
SÍ.
NUESTRO CUERPO ESTÁ FORMADO POR INFINIDAD DE ELEMENTOS QUÍMICOS.

AUNQUE LAS BACTERIAS LO ACABARÁN DESCOMPONIENDO Y TRANSFORMÁNDOLO EN ALIMENTO PARA LAS PLANTAS.
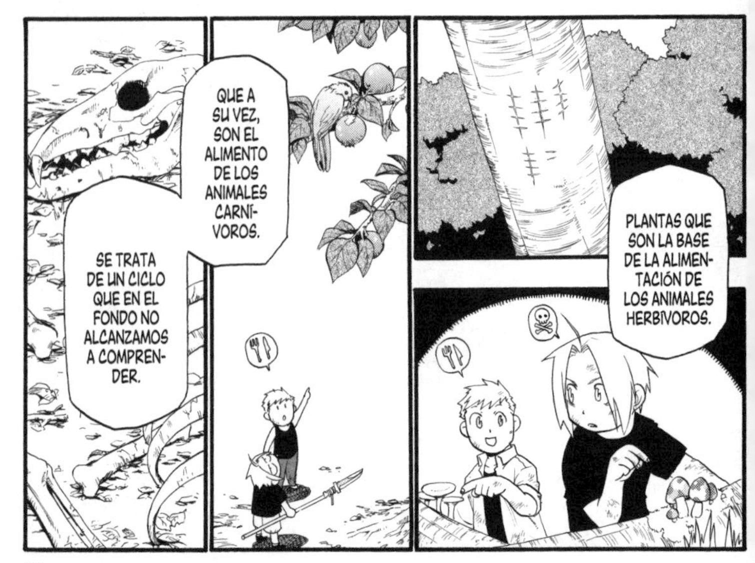
PLANTAS QUE SON LA BASE DE LA ALIMENTACIÓN DE LOS ANIMALES HERBÍVOROS.
QUE A SU VEZ, SON EL ALIMENTO DE LOS ANIMALES CARNÍVOROS.
SE TRATA DE UN CICLO QUE EN EL FONDO NO ALCANZAMOS A COMPRENDER.

LO SIENTO.

ZAK

SLURP

!
PLAF
THONK
¡NEPA!

SHAG
¡¡CA-
SI!!

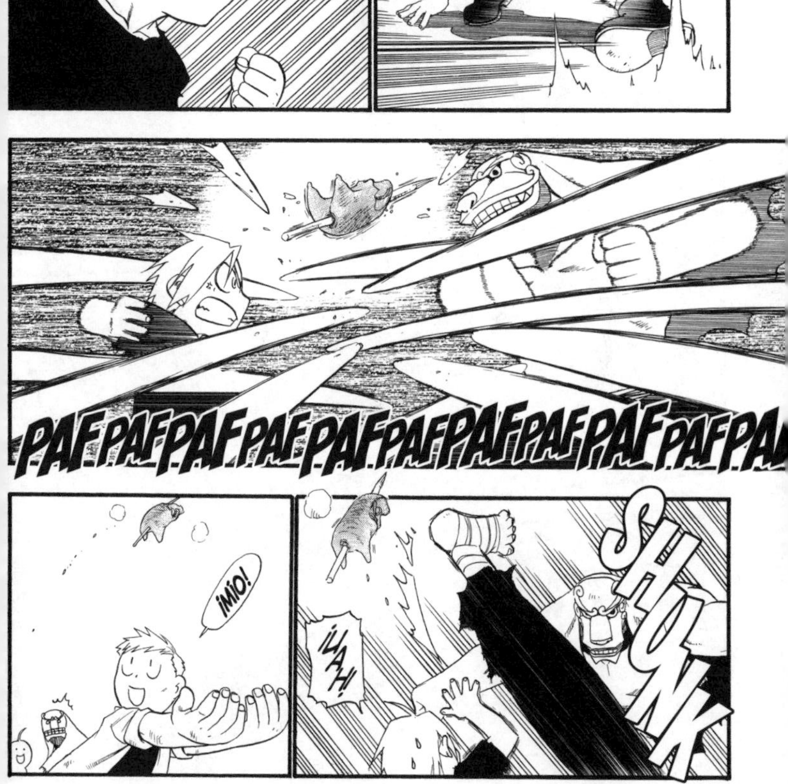
PAF PAF PAF PAF PAF PAF PAF PAF PAF PAF
SHUNK
¡UAH!
¡MÍO!

UNA CORRIENTE DEMASIADO GRANDE QUE NO SE PUEDE APRECIAR A SIMPLE VISTA.

NO SABRÍA DECIRTE SI SE TRATA DEL "MUNDO" O DE TODO EL "UNIVERSO"...

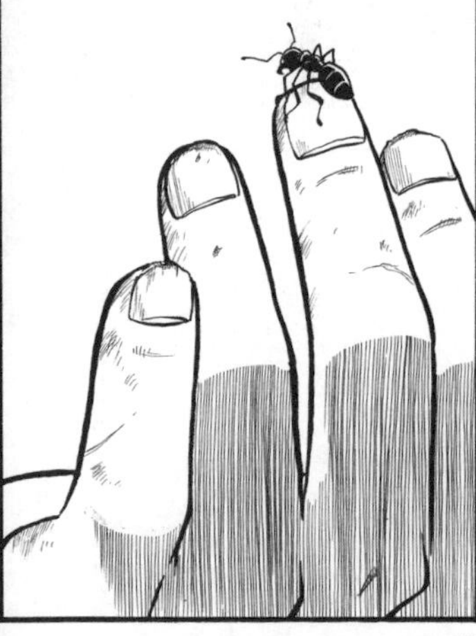
DENTRO DE ESA CORRIENTE ENORME, TÚ Y YO SÓLO SOMOS UNA PEQUEÑA PARTE.
UNA PARTE DENTRO DE UN TODO.

Y TODAS ESAS PARTES JUNTAS ES NUESTRA EXISTENCIA.
NUESTRAS VIDAS TRANS-CURREN MARCADAS POR UNA SERIE DE LEYES UNIVER-SALES.

DESTRUIR Y RECONSTRUIR DENTRO DE ESA CORRIENTE...
ESO ES...
LA ALQUIMIA.

ZSSS
ZSSS

ZSSS
TCH
AC

BLOB
BLOB

¡30 DÍAS!
YA TENEMOS DESAYUNO.

HOY ES EL DÍA.

"UNO ES TODO Y TODO ES UNO", ¿CUÁL ES LA RESPUESTA?

TACHÁN
¡"TODO" ES EL MUN-DO!
¡"UNO" SOY YO!

FUM

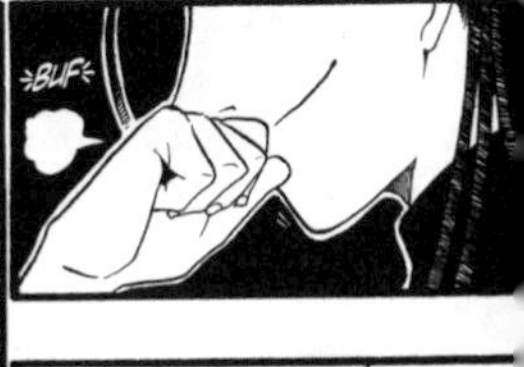
BUF

¡JA, JA, JA!

EN-HO-RA-BUE-NA.
SE-RÉIS MIS ALUM-NOS.
¡¡VIVA!!

SUBID A LA BARCA.
OS ESPERA COMIDA CALIENTE Y UNA CAMA.
¡HEMOS SOBRE-VIVIDO, HERMA-NO!
AAAAAY...
¡HER-MA-NITO!

CHAP
CHAP
CHAP
CHAP
CHAP
CHAA AN

¡¡AARG!!
¿¡QUÉ HACE ESE BESTIA AQUÍ?!
BUEN TRABA-JO...

¿¡CÓMO!?
ES MI AYUDANTE.

¡JIA, JIA, JIA!
¡HABÉIS AGUANTADO UN MES!
¡ME LLAMO MEISUN, ENCANTADO!
¿QUÉ TAL? ¿A QUE NO ME HA SALIDO NADA MAL?
HAHAHA HAH
AHAHAHA
FIUM
FIUM

MENUDO SUSTO ME DISTEIS CUANDO CASI LA PALMÁIS
POR ESO, DESPUÉS AFLOJÉ UN POCO Y NO OS METÍ TANTA CAÑA, AUNQUE ME COSTÓ LO MÍO.
BLA BLA BLA BLA BLA BLA
PERO ME HA SERVIDO, PORQUE ESTO DE AQUÍ ME LO LLEVO PARA EL TRABAJO.
...
SE HABÍA QUEDADO A VIGILAR, NO FUERA COSA QUE OS MURIERAIS.

¿Y POR ESO TENÍA QUE ASALTARNOS CADA DOS POR TRES?
¡IGNORANTE! ¡LA VIDA ES CORTA, Y HABÍA QUE SACARLE PARTIDO AL MES QUE ESTUVIERAIS AQUÍ!

¡Y PARA FORTALECEROS ESPIRITUAL Y FÍSICAMENTE!
¡POR ESO HABÉIS PASADO UN MES ENTERO AQUÍ!
A PARTIR DE AHORA SERÉ VUESTRA MAESTRA, Y SERÉ IMPLACABLE.
IROS HACIENDO A LA IDEA.

¡SÍ!
¡DESPUÉS DE HABER MANDADO A PASEO A LA MUERTE EN ESTA ISLA, CUALQUIER OTRA COSA SERÁ UN JUEGO DE NIÑOS!
¡¡AHORA YA NO LE TEMO A NADA!!

PLAF
¡QUÉ GUARRAZO!
TIENES QUE DIRIGIRTE CON RESPETO A TU MAESTRO.
BRRR
FIUM
HABERME LIBRADO DE LA MUERTE...
FLAP

FULLMETAL
ALCHEMIST

Capítulo 23
LLAMANDO A LAS PUERTAS DEL CIE

QUIERO A
MI MUJER.

¡RIE-
SEN-
BURG!

¡EL TREN
ACABA DE
LLEGAR A
RIESEN-
BURG!

TAP TAP
TAP TAP TAP

TAP TAP
¡BUENOS
DÍAS,
SEÑOR
INTER-
VEN-
TOR!
¡¿CÓ-
MO VA
TODO?!
¡¡AAAAAH!!

¿PERO VOSO-
TROS NO OS
HABÍAIS IDO
A DUBLITH?
¡SÍ! ¡PERO
EL ENTRE-
NAMIENTO
YA HA
ACABADO!

QUÉ
PRON-
TO.
DIRÍA QUE NO HA
PASADO NI MEDIO
AÑO DESDE QUE
SE FUERON.
IGUAL
LOS HAN
ECHADO,
QUIÉN
SABE.

SEA COMO SEA...
SE NOTA QUE DURANTE EL TIEMPO QUE HAN ESTADO FUERA SE HAN HECHO MAYORES.

CLANG CLANG CLANG
ÑAM ÑAM ÑAM

¡QUÉ FUERTE! OS PRESENTÁIS SIN AVISAR Y LO PRIMERO QUE DECÍS ES "DAME DE COMER".
¿QUÉ QUIERES QUE LE HAGA SI VENGO MUERTO DE HAMBRE?
AL MENOS, VOLVÉIS CON BUEN ASPECTO.
Y DIRÍA QUE OS VEO MAYORES.
SLURP

¿NO HABÉIS CRECIDO UN POCO?
¿AH, SÍ? ¿SE NOTA?
¡JA,JA! ¡JA,JA! ¡JA,JA! ¡JA,JA! ¡JA,JA! ¡JA,JA!
OYE...
¡JA,JA! ¡JA,JA! ¡JA,JA! ¡JA,JA! ¡JA,JA!
¿Y CÓMO HA SIDO VUESTRO ENTRENAMIENTO?
¡JA,JA! ¡JA,JA! ¡JA,JA!

¡AAAY!

BRRRRRR BRRRRRRRR
NO ME LO RECUERDES.
SI NO ME LO QUERÉIS CONTAR TAMPOCO PASA NADA.
¿VALE?
¡HOMBRE!
¿YA ESTÁIS POR AQUÍ?

¡CUÁNTO TIEMPO!
NOS HEMOS ENTERADO DE QUE ACABÁIS DE VOLVER.
BUENAS TARDES, SRA. PINAKO.
MI PADRE ME HA DICHO QUE VINIERA A BUSCAROS.
¿NOS VA A DAR ALGO?
NO, NO ES ESO.

ERA PARA VER SI NOS PODÍAIS ARREGLAR EL COBERTIZO.
ESTÁ HECHO TRIZAS.
LO HA DERRIBADO UN VENDAVAL.

¿PODRÍAIS HACER ALGO DE ALQUIMIA?
NO LO HAGÁIS SI OS SUPONE MUCHO ESFUERZO.
HASTA AHORA SÓLO NOS HABÉIS ARREGLADO COSAS PEQUEÑAS...
ÑIIG
NUNCA OS HEMOS PEDIDO ALGO TAN GRANDE.

PERO BASTARÍA CON QUE LOS CIMIENTOS QUEDARAN BIEN...
SÍ, ¿NO?
UNA, DOS Y...

CHAN

¿QUÉ TAL?
NO PODRÍA ESTAR MEJOR...
¡¿HABÉIS SUPERADO A VUESTRO MAESTRO?!
¡NI EN SUEÑOS!
¡¿Y HA SIDO GRACIAS A VUESTRO ENTRENAMIENTO?!
¡¡SI HA QUEDADO MÁS FIRME QUE ANTES!!
EJEM EJEM
¡NUESTRO MAESTRO NO NECESITA DIBUJAR EL CÍRCULO DE TRANSMUTACIÓN, LE BASTA CON DAR UNA PALMADA!
LO SUYO NO ES HUMANO...
¿Y A VOSOTROS NO OS SALE?

NO, TODAVÍA NO.
¡JA, JA, JA!
¡UGH!
¡AAGH!
MEAT

LA BASE FUNDAMENTAL DEL CÍRCULO DE TRANSMUTACIÓN ES LA ENERGÍA DEL PROPIO CÍRCULO.
Easy Cooking

EL CÍRCULO SE ENCARGA DE QUE LA ENERGÍA FLUYA.
AL DIBUJAR ESA FIGURA, SE LOGRA ACTIVAR LA ENERGÍA.

ZAS ZAS ZAS ZAS ZAS ZAS ZAS ZAS ZAS
COMPRENDIENDO EL FLUJO DE LA ENERGÍA Y LAS LEYES UNIVERSALES...
APLICADLAS A CUALQUIER COSA.
FIM
FIM
Easy Cooking

¡¡UAH!!
FIUM
EN RESUMEN...
PLAC
FRUS

¡¡AARGH!!
SI SABES CÓMO FLUYE LA ENERGÍA DE TU ADVERSARIO, PODRÁS UTILIZARLA EN SU CONTRA.

PLOOOONK

ES OTRA FORMA DE QUE CIRCULE LA ENERGÍA.
¡AY, AY!

LO MEJOR ES QUE LO SIENTAS EN TUS PROPIAS CARNES.
JE, JE, JE...
FIUUUM
¡¡NOOOO!!

AQUÉLLOS QUE COMPRENDEN ESTE FLUJO Y SON CAPACES DE CREAR A PARTIR DE ÉL...

TIP

...SON LOS VERDADEROS ALQUIMISTAS.
PAF PAF

EL MUNDO FLUYE SIGUIENDO ESTA ENORME CORRIENTE...
INCLUIDA LA VIDA Y LA MUERTE DE LAS PERSONAS.
POR ESO NO DEBES INTENTAR RESUCITAR A ALGUIEN.

BUENO, YA ES LA HORA DEL DESAYUNO.
QUÉ PREPARARÉ ESTA MAÑANA...
COF COF
PARA ESTA TARDE OS ESPERA EL ENTRENAMIENTO INTENSIVO INFERNAL DEL PLAN B, ASÍ QUE OS CONVIENEN UNAS CUANTAS CALORÍAS...
¡¿QUÉÉÉÉ?!

¡NO ME REPLIQUÉIS!
FIUUUM
¡¡NOOOOO!!
MIENTRAS PREPARO EL DESAYUNO, OS QUIERO VER REPASANDO.
QUÉ PESADITA...
A VER... UNA CORRIENTE DE ENERGÍA Y LA FÓRMULA ALQUÍMICA...

PERO SI HA TRANSMUTADO SÓLO DANDO UNA PALMADA...
ESO, ESO.

ENTIENDO QUE LAS DOS MANOS ACTÚEN FORMANDO UN CIRCULO, PERO...
NO VEO LA FÓRMULA POR NINGUNA PARTE.

DIGAMOS QUE EN ESTE CASO LO SOY YO...
?

NO ME ENTERO...
¿QUÉ TENEMOS QUE HACER PARA QUE NOS SALGA?

PODRÁS HACERLO CUANDO DESCUBRAS POR TI MISMO "LA VERDAD".
"LA VERDAD"...

HMMM...
PLAS

PAF
SHHHHHHHHHHHHHHH
¡NO HAY MANERA!
POF

¡MUCHA VERDAD, MUCHA VERDAD, PERO NO ME LO HA EXPLICADO!
ESTÁ CLARO, ED.
GRRRRR
SI CONTINUAMOS INVESTIGANDO CON PERSEVERANCIA, YA VERÁS COMO DAMOS CON LA VERDAD NOSOTROS SOLOS.

CON PERSEVERANCIA...
¡HALE! ¡VAMOS A VOLVER A DESARROLLAR LA TEORÍA DE LA TRANSMUTACIÓN HUMANA!

QUIERO VOLVER A VER PRONTO A MAMÁ....
Y YO.

THE CONCLUSION OF A CIVIL WAR
THE CONCLUSION

RIC
RIC
RIC
RIC
RIC
RIC
RIC
RIC

RAAAC
¡¡LISTO!!

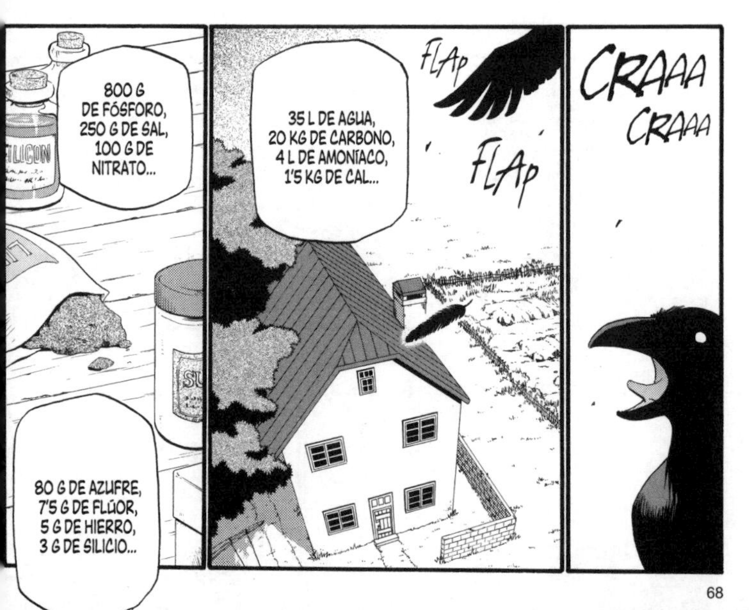
CRAAA
CRAAA
FLAp
FLAp
35 L DE AGUA, 20 KG DE CARBONO, 4 L DE AMONÍACO, 1'5 KG DE CAL...
800 G DE FÓSFORO, 250 G DE SAL, 100 G DE NITRATO...
80 G DE AZUFRE, 7'5 G DE FLÚOR, 5 G DE HIERRO, 3 G DE SILICIO...

BLUOBS
¡QUE-MA, QUE-MA!
¡CON CUIDADO! ¡NOS VA A DEVOLVER A MAMÁ!
JE, JE, JE...
¿QUÉ LE DIREMOS CUANDO LA VOLVAMOS A VER?
¿NO TE LO IMAGI-NAS?

"¡NO SE LO DI-GAS AL MAES-TRO!"

¡JA, JA, JA!

YA TENEMOS LOS INGRE-DIENTES NECE-SARIOS PARA RECOMPONER UN CUERPO HUMANO ADULTO...
RAAAC
AHORA, LA FÓR-MULA...

Y AHORA...
¡AY!

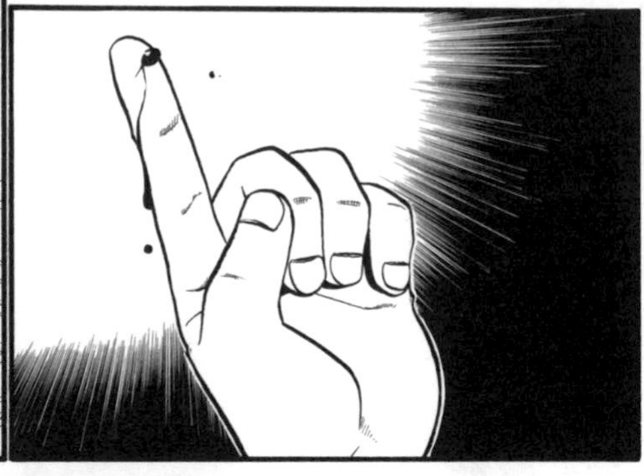

LO NECESARIO PARA EL ALMA...

ALLÁ VAMOS, AL.
VENGA.

SHAAMM

PLOOF
QUÉ EMOCIÓN, QUÉ EMOCIÓN
FUOOOOOOOO
QUÉ NERVIOS...
...
FU OOOO
¿EH?

¿PASA ALGO RARO, HERMANO?
FU OOO
PAK

FUOO
OSSS
HHHSSH

¡¡AL!!
PAK
¡¡EFEC-
TO RE-
BOTE!!
PAK
PAK
PAK
PAK
PAK

PAK PAK PAK PAK PAK PAK PAK
¡¡HERMA-NOOOO!!
FUOOOOOOOOOOOOOOOOOM
¡¡AAAAAAL!!
PAK PAK

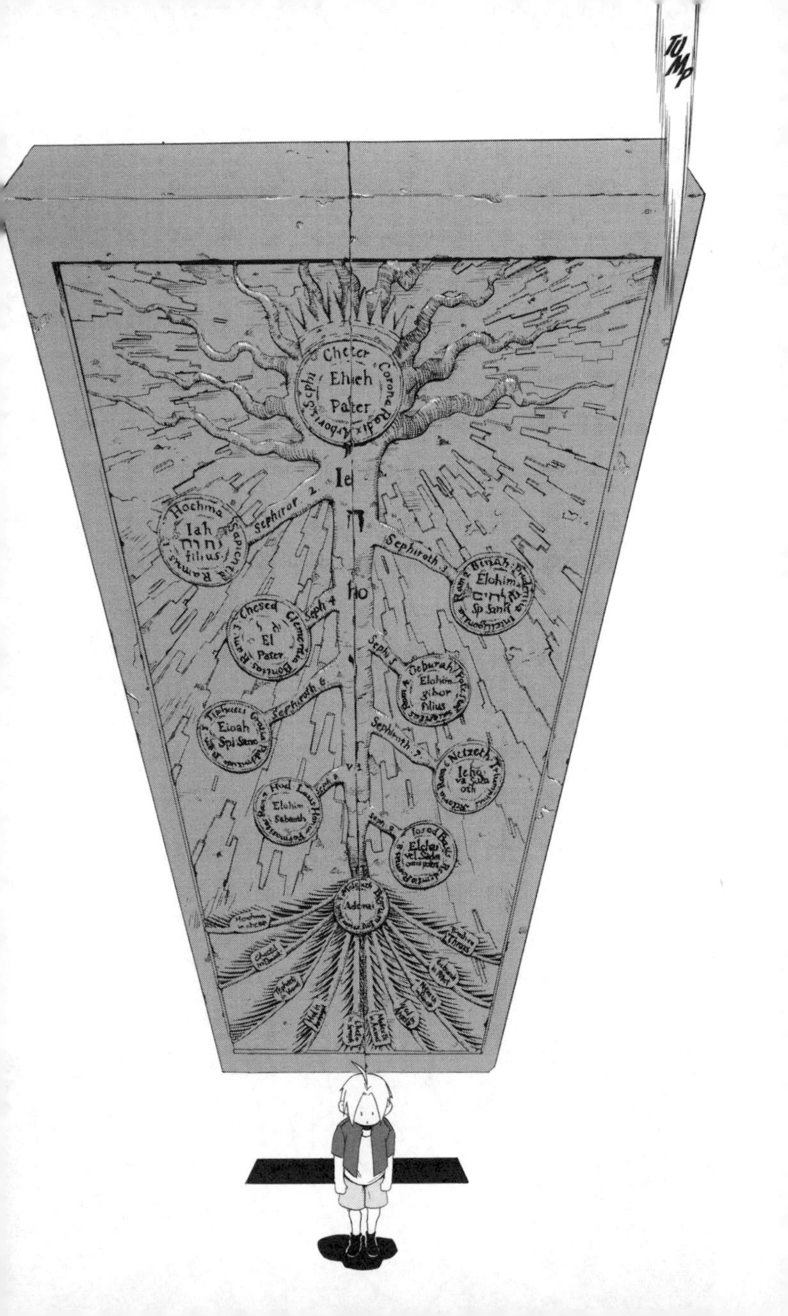
TUMP
Ehieh
Pater
Ie
Hochma
Iah
filius
Sephiroth 3
Binah
Elohim
ho
Chesed
Seph 4
El
Pater
Seph 5
Geburah
Elohim
gibor
filius
Sephiroth 6
Eloah
Sephiroth 7
Netzeth
Hod
Elohim
Sabaoth
Seph 9
Iesod
Adonai

UY...
¿QUÉ ESTABA HACIENDO?
¿AL?
AL...
¡HOLA!
¡EY!
ZUMM

¿QUIÉN ES?
AQUÍ, AQUÍ.
JUSTO ENFRENTE DE TI.
¿DÓNDE...?

!

¿QUIÉN ERES?
HOMBRE, ALGUIEN QUE ME LO PREGUNTA.

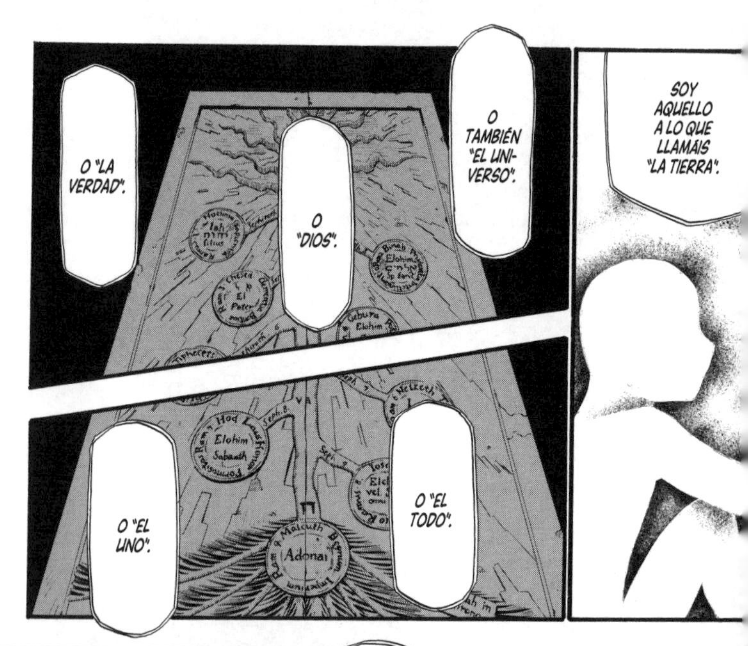
SOY AQUELLO A LO QUE LLAMÁIS "LA TIERRA".
O TAMBIÉN "EL UNIVERSO".
O "DIOS".
O "LA VERDAD".
O "EL TODO".
O "EL UNO".

ADEMÁS...
TAMBIÉN SOY "TÚ".

BIEN-
VENI-
DO...
ESTÚ-
PIDO
INSEN-
SATO.
GRRRRRRR
SSSH

¡¡AARRG!!
PAK PAK PAK PAK
PAK PAK
NO TE RESIS-TAS.
PAK
¿ACASO NO ES LO QUE QUERÍAS?

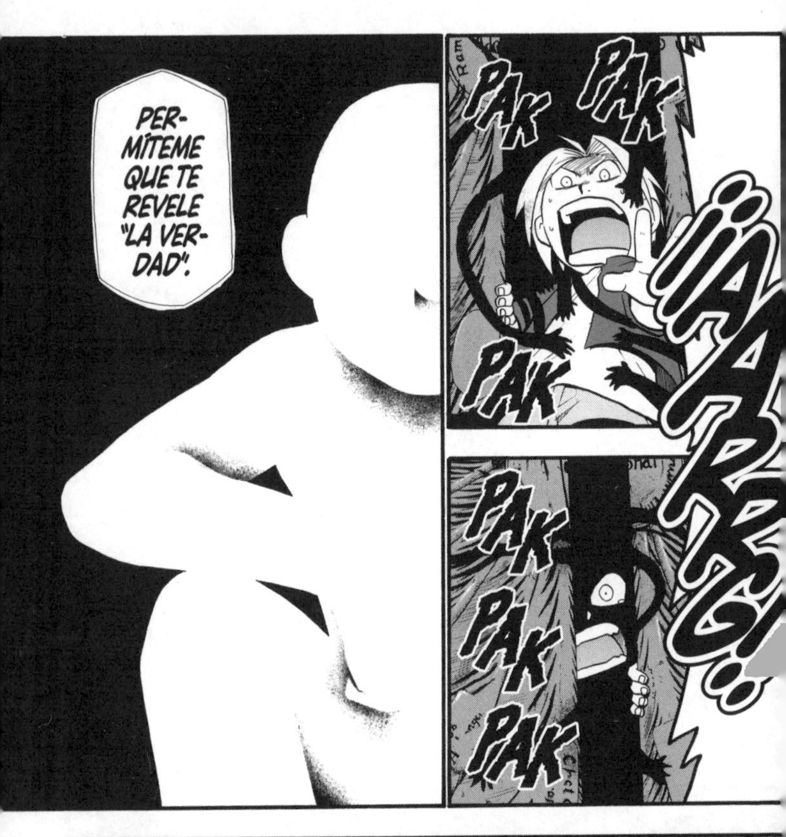
PAK PAK
¡¡AARRG!!
PAK
PAK
PAK
PAK
PAK
PERMÍTEME QUE TE REVELE "LA VERDAD".

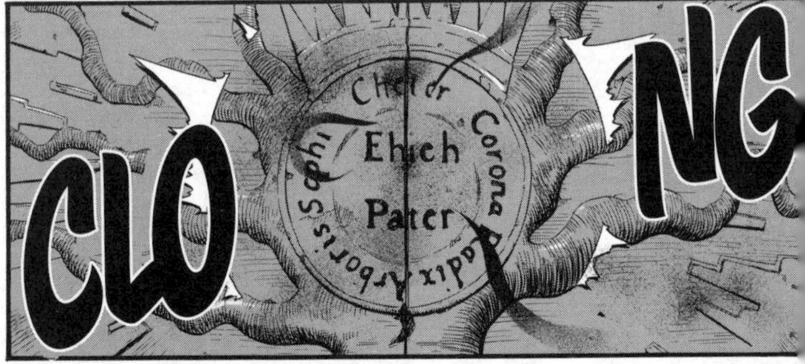
CLONG
Ehieh
Pater
Corona
Radix Arboris Sophi

¡¿QUÉ
DIABLOS
ESTÁ PA-
SANDO?!

ZOOM
ZOOM
ZOOM
ZOOM
¡¡BASTA!!
¡LA CABEZA ME VA A REVENTAR!
ZOOM
ZOOM

ZOOM
ZOOM
¡¡ME VA A AMPUTAR ALGO!!
ZOOM
ZOOM
ZOOM
ZOOM
¡¡NO!!
¡¡DÉJALO YA!!

BAS-
TA...
MA...
ZOOM
ZOOM
ZOOM

BLAM
Cheter
Ehieh
Pater
Hochma
Iah
filius
Binah
Elohim

¿QUÉ TE HA PARECIDO?

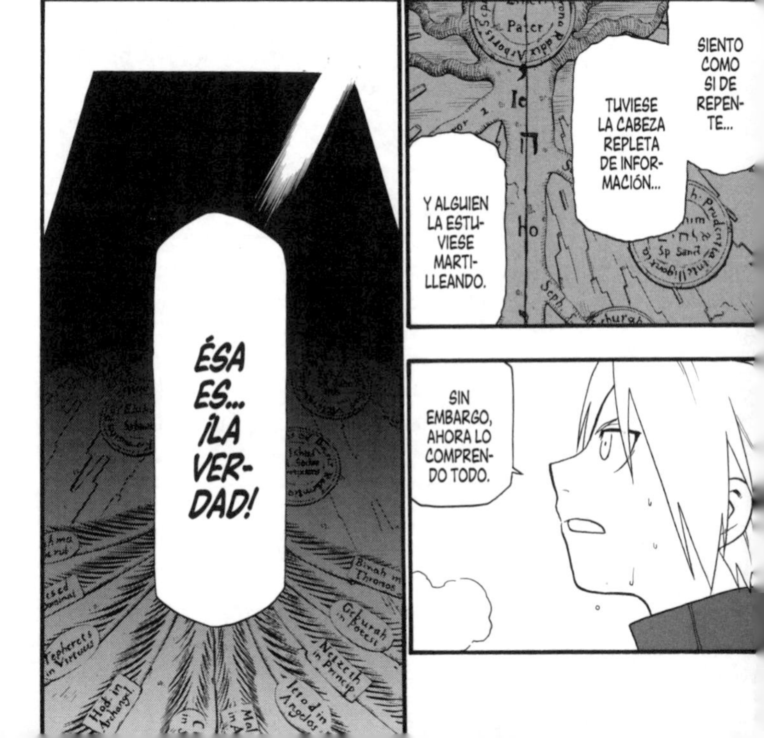

SIENTO COMO SI DE REPENTE...
TUVIESE LA CABEZA REPLETA DE INFORMACIÓN...
Y ALGUIEN LA ESTUVIESE MARTILLEANDO.
SIN EMBARGO, AHORA LO COMPRENDO TODO.
ÉSA ES... ¡LA VERDAD!

EN EL FONDO...
NUESTRA TEORÍA DE LA TRANSMUTACIÓN HUMANA NO ESTABA DEL TODO EQUIVOCADA.
PERO NO ERA PERFECTA.

PLAS
¡NECESITA UN TOQUE FINAL!
¡LO QUE NECESITO LO TENGO JUSTO ANTE MÍ!
¡¡ALLÍ ESTABA LA VERDAD SOBRE LA TRANSMUTACIÓN HUMANA!!

¡POR FAVOR, DÉJAME VOLVER A VERLO!
SÓLO UNA VEZ MÁS...
NO.

ES TODO LO QUE TE PUEDO ENSEÑAR POR EL PRECIO DEL PASAJE QUE HAS PAGADO.
¡¿PRECIO DEL PASAJE?!

ESO HE DICHO.
PRECIO DEL PASAJE...
PAK

EL INTERCAMBIO EQUIVALENTE, ¿NO?
¿NO ES ASÍ, ALQUIMISTA?

ZAK

¡¡AARGH!!
¡¡ARGH!!
¡¡AAARGH!!
AL... AL... ¡¡AL-PHON-SE!!
¡NO! ¡¿CÓMO HE PODIDO PERMITIR QUE SU-CEDIERA?!

NO TENÍA QUE SER ASÍ...
BLOB
¡MALDITA SEA! ¡¡LOS HE PERDIDO!!
QUE ALGUIEN... ME AYUDE...
¿MAMÁ?

MAMÁ...
¡H!
¡H!

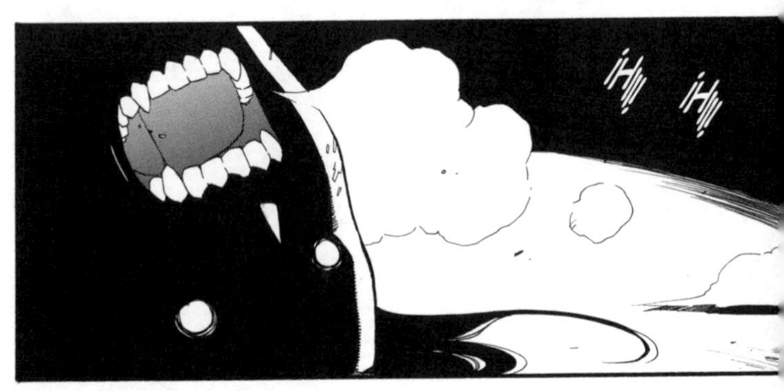
¡H!
¡H!

TUMP
AGH
FWASH
BUEGH

NO...
NO ES...
POSI-BLE...

BUUH
BUARGH
BLEAGH
AGH AGH
NO...
AGH
ESTO NO ES LO QUE QUERÍA-MOS...
AL...
LA CULPA ES MÍA...
MÍA...
RAAAC

ZAP
CHANG

DIOS...
FRUS
FRUS

ZIIIP
DE-
VUÉL-
VEME...
...A MI
HER-
MANO.

¡¡QUÉDATE
CON LA
OTRA
PIERNA,
O CON
LOS DOS
BRAZOS!!

O QUÉDATE CON MI CORAZÓN, SI QUIERES...
PERO...
¡¡DEVUÉLVEMELOOO!!
¡¡ES EL ÚNICO HERMANO QUE TENGO!!
PLAS

CHA
AN

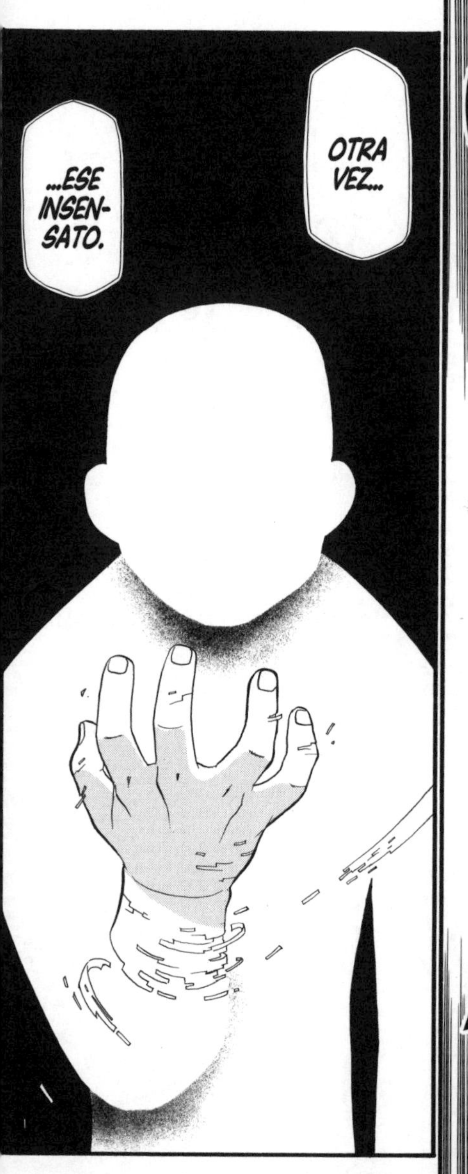
OTRA VEZ...
...ESE INSENSATO.

BLEEEE

FULLMETAL
ALCHEMIST

LO LAMENTO, PERO NO HE ENCONTRADO OTRO VEHÍCULO EN TODO EL PUEBLO.
ROC TROC TROC TROC TROC TROC TROC TROC TROC TROC TROC TR

NO TE PREOCUPES. EL PASEO TAMBIÉN TIENE SU ENCANTO.

POR CIERTO.
¿CÓMO ES QUE BUSCA A LOS ELRIC...
...TENIENTE CORONEL MUSTANG?
HE VENIDO A BUSCAR A UNOS HERMANOS RESIDENTES EN RIESENBURG QUE ASPIRAN A SER ALQUIMISTAS.
¿Y VAN A SER ALQUIMISTAS NACIONALES? ¡MADRE DEL AMOR HERMOSO!
COF
COF

PARA QUE VENGA EN PERSONA UN TENIENTE CORONEL DEL CUARTEL DEL ESTE...
ME ENCARGO DE BUSCAR Y RECLUTAR A LOS MEJORES ALQUIMISTAS.
Y CON LA GUERRA CIVIL, ANDAMOS ESCASOS DE PERSONAL.
¡JO,JO,JO!
SÍ, PERO QUE VENGA UN CARGO COMO EL SUYO A BUSCARLOS...
JO, JO.
MENUDA SORPRESA SE VAN A LLEVAR ESOS RENACUAJOS...

...
PLIC
PLIC
PLIC
¿RENACUAJOS?
SÍ.
PLIC
PLIC

FRAS
ALDEA DE RIESENBURG, EDWARD ELRIC, 31 AÑOS...
QUÉ VA, TIENE 11 AÑOS.
Y SU ERMANO, UN AÑO MENOS.

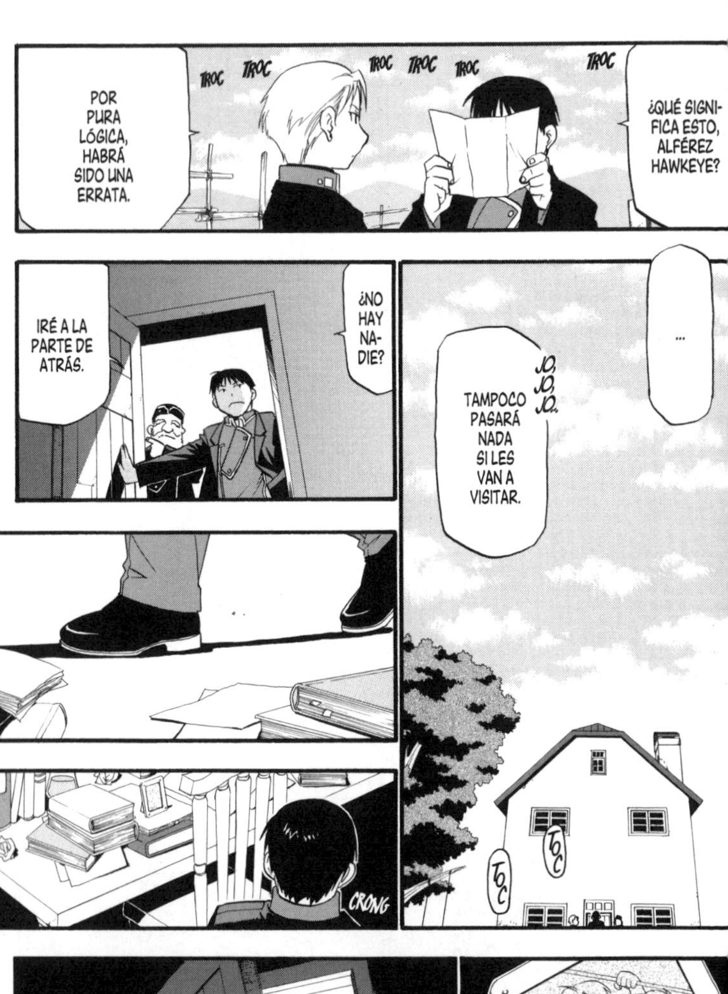
TROC TROC TROC TROC TROC TROC
¿QUÉ SIGNIFICA ESTO, ALFÉREZ HAWKEYE?
POR PURA LÓGICA, HABRÁ SIDO UNA ERRATA.
...
JO, JO, JO..
TAMPOCO PASARÁ NADA SI LES VAN A VISITAR.
TOC TOC
¿NO HAY NADIE?
IRÉ A LA PARTE DE ATRÁS.
CRONG

ÑIEG

Capítulo 24
EL ALQUIMISTA DE ACERO

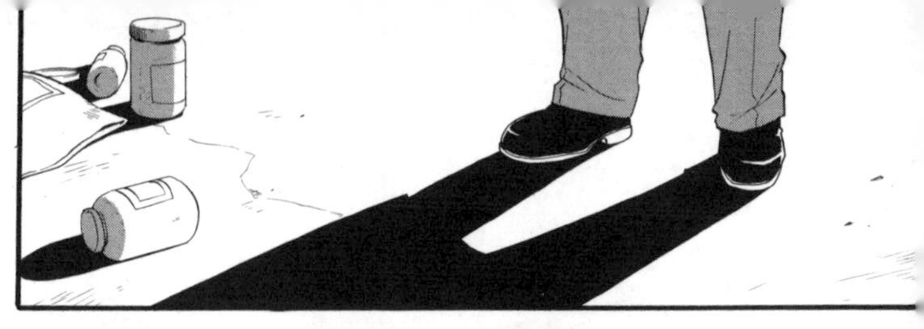

¿SON MARCAS DE SAN-GRE?
TAMPOCO HAY NADIE ATRÁS, SEÑOR.
A LO ME-JOR ES-TÁN...
¿DÓNDE?

¿EH?
¡¿DÓNDE DIABLOS SE HAN METIDO LOS HER-MANOS ELRIC?!

P-PUES...
SI NO ES-TÁN AQUÍ, ESTARÁN EN CASA DE LOS ROCK-BELL...

TOC TOC
TOC TOC TOC
GUAU
GUAU
GUAU

GUAU GUAU GUAU
¿QUÉ PASA, DEN?
SÓLO ES UNA VISITA....
TROMP TROMP
SI ME DISCULPA, SRA. ROCKBELL.

¿A QUÉ SE DEBE VUESTRA VISITA?

DISCÚLPENOS, PERO NOS HAN DICHO QUE AQUÍ ENCONTRARÍAMOS A LOS HERMANOS ELRIC.

!

FRU
US

¡VENIMOS DE ESTAR EN VUESTRA CASA!!
¡¿QUÉ DIABLOS HA PASADO?!
¡¿QUÉ HABÉIS HECHO?!

UGH

LE RUEGO...
...QUE NOS DISCULPE.

LO SENTIMOS...
LO SENTIMOS MUCHO...

UNA CUANTIOSA BECA DE INVESTIGACIÓN...
ACCESO A DOCUMENTOS CLASIFICADOS...
ARF

ASÍ COMO TODOS LOS MEDIOS AL ALCANCE DEL ESTADO EN MATERIA DE INVESTIGACIÓN...
DISPONDRÁ DE TODOS ESOS PRIVILEGIOS SI ACEPTA EL CARGO DE ALQUIMISTA NACIONAL.
A CAMBIO, SE LE EXIGIRÁ UN COMPROMISO DE OBEDIENCIA Y LEALTAD HACIA EL EJÉRCITO.
PODRÁ LLEVAR A CABO INVESTIGACIONES QUE ESTÁN FUERA DEL ALCANCE DE LA GENTE DE A PIE.
Y LLEGADO EL MOMENTO, PODRÍAN LLEGAR A RECUPERAR SUS CUERPOS.

ENTONCES... LA ALQUIMIA TENDRÁ UN USO PÚBLICO...
EXACTO.
POR ESA RAZÓN SE HABLA DE "PERROS DEL EJÉRCITO".

¿ESTÁ SEGURO DE QUE ESTOS CHICOS ESTÁN LISTOS PARA RECIBIR UN TITULO DE ESAS CARACTERÍSTICAS?

EL CÍRCULO DE TRANSMUTACIÓN QUE HEMOS ENCONTRADO EN CASA DE LOS ELRIC Y LOS INDICIOS DE UN INTENTO DE TRANSMUTACIÓN HUMANA SON LA PRUEBA.
ADE-MÁS...

TENEMOS UNA MUESTRA FEHACIENTE COMO ES LA TRANSMUTA-CIÓN DE UN ALMA.
BUUF
TENIEN-TE CO-RONEL MUS-TANG...
DESPUÉS DE QUE ESTE NIÑO SE PRESENTARA EN CASA CUBIER-TO DE SANGRE...
FUI A LA SUYA PARA VER QUÉ HABÍA PASADO.
Y ENTERRÉ AQUELLO... DETRÁS DE LA CASA.
AQUE-LLO...

¡¡NO ERA HU-MANO!!

¡¿CREAR SEMEJANTE ABERRACIÓN ES ALQUIMIA?!

¡¡Y US-TED...
...¿PRE-TENDE QUE VUELVAN A LAS ANDA-DAS?!!

TENGA.

AH, GRACIAS.
FUISH
...
VERÁ... SEÑORA ALFÉREZ...
PUEDES LLAMARME RIZA.
RIZA HAWKEYE.
MUCHO GUSTO.
SEÑORA RIZA...
¿HA DISPARADO ALGUNA VEZ A ALGUIEN?

?

SÍ.
UNAS CUANTAS...
SÍ.

NO ME GUSTAN LOS MILITARES.
SE LLEVARON A MIS PADRES A LA GUERRA, Y ALLÍ LOS MATARON.
Y AHORA, ESE TAL MUSTANG QUIERE LLEVARSE A ED Y A AL...
NO ME HACE NINGUNA GRACIA QUE TRABAJEN PARA EL EJÉRCITO...
NO SE LOS LLEVEN, POR FAVOR...

NADIE SE LOS VA A LLEVAR.
SI VIENEN, SERÁ POR DECISIÓN PROPIA.

PARA SERTE SINCERA, A MÍ TAMPOCO ME GUSTAN LOS MILITARES.
A VECES ME VEO OBLIGADA A ACABAR CON LA VIDA DE ALGUNAS PERSONAS.
¿Y POR QUÉ ESTÁ EN EL EJÉR-CITO?

PORQUE TENGO QUE PROTEGER A CIERTA PERSO-NA...

SRA. ROCK-BELL...
NO LES VOY A OBLIGAR SI NO QUIEREN.

AUNQUE NADIE ME OBLIGÓ.
FUE MI PROPIA DECISIÓN.

¡TAN SÓLO LES ESTOY OFRECIENDO UNA OPORTUNIDAD!

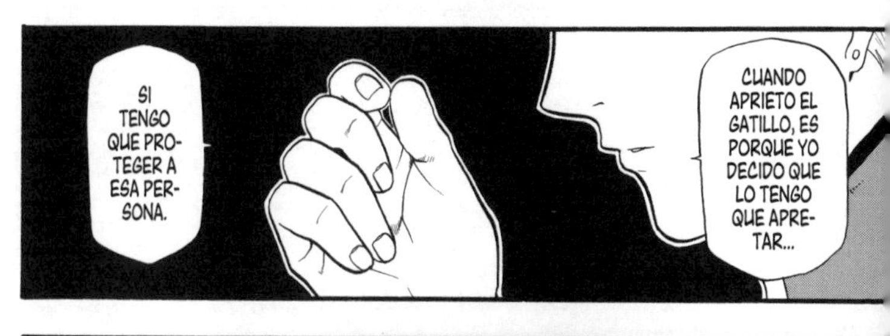
CUANDO APRIETO EL GATILLO, ES PORQUE YO DECIDO QUE LO TENGO QUE APRETAR...
SI TENGO QUE PROTEGER A ESA PERSONA.

¡¿PIENSAS PASARTE EL RESTO DE TU VIDA ASÍ, CON TU HERMANO EN UNA ARMADURA?!
¡¿O APROVECHAR LA OPORTUNIDAD QUE TE BRINDA EL EJÉRCITO PARA RECUPERAR VUESTRAS VIDAS?!

NO DUDARÉ EN APRETAR EL GATILLO CUANDO HAGA FALTA...
...HASTA QUE ESA PERSONA CUMPLA SU COMETIDO.

¿ESTÁIS SEGUROS DE QUE ES LO QUE QUERÉIS HACER?

SI ESOS NIÑOS TIENEN LAS IDEAS CLARAS, SABRÁN TOMAR LA DECISIÓN QUE LES CONVIENE.

AUNQUE EL CAMINO NO SERÁ FÁCIL.

NO LES ROBARÉ MÁS TIEMPO.

SI CAMBIÁIS DE PARECER, ACUDID AL CUARTEL DE EAST CITY.
NOS LO PENSAREMOS.

HASTA LA VISTA.
SEÑORA...

HASTA LA PRÓXIMA, MUCHACHA.
POR CIERTO...
...ME LLAMO WINRY.

UN PLACER...
WINRY.

ESPERO QUE NOS VOLVAMOS A VER.
TROC TROC TROC TROC TROC TROC TROC TROC TROC

¿TÚ CREES QUE VEN-DRÁN?
SEGURO QUE SÍ.

LO DICE MUY SEGU-RO.
ESE TAL ED TIENE ASPECTO DE NO PODER RECUPE-RARSE JAMÁS...
¿EN SERIO?
SU MI-RADA...

...RE-FLEJA SU DESES-PERA-CIÓN.

¿SEGURO QUE NO TE VAS A ARREPENTIR?
SEGURO.
LO TENGO MUY CLARO.

¿CUÁNTO DURARÁ LA OPERACIÓN Y LA REHABILITACIÓN?
PODRÍAN PASAR TRES AÑOS HASTA QUE RECUPERARAS LA MOVILIDAD.
¡QUE SEA UN AÑO!

VAS A PASAR POR UN CALVARIO...

AL...
AGUANTA UN POCO MÁS...

PIENSO DEVOL-VERTE TU CUERPO.

VALE.
PERO CUANDO TÚ RECUPERES EL TUYO.

CHANG
CHANG
CHANG
CHANG
CHANG
PLONK
THUKS
CHANG
CHANG
CHANG
CLANG

SHAAAAA

ÑAC
¡¡AGUANTA!!
BUF
ÑIG
ÑIG

¡¡HA-BRA-SE VIS-TO!!
PLANK
¡¿SE PUE-DE SABER QUÉ ESTÁS HACIEN-DO?! ¡VAS A CAR-GARTE EL IMPLANTE!
¡AY, AY!
HALA, Y SI ME ROMPE A MÍ NO PASA NADA...

GRRRRR
GRRRRR
¡ERES BORDE, FEA, Y UNA FRIKI DE ESOS CHISMES!
GRRRRR
¡YA VES TÚ QUÉ PROBLEMA, QUE SEA BORDE O FEA!
GRRRRR
¡ENCIMA QUE OS HE DICHO QUE OS AYUDARÉ EN TODO LO QUE HAGA FALTA...
HASTA QUE VOLVÁIS A SER LOS MISMOS DE ANTES!
Y COMO NO HAGAS CASO, TE VUELVO A ATIZAR CON LA LLAVE INGLESA.
VAAALE...
QUÉ MAJA ES....
AAAAAY...
¿QUÉ?
QUITA, QUITA...
SE TE VE RECUPERADO.
¡SÍ!
AUNQUE YA VERÁS QUÉ CACHONDEO SI AHORA NO PUEDO USAR LA ALQUIMIA.
JO, JO...
NO LO HE VUELTO A INTENTAR DESDE AQUEL DÍA...
ES VERDAD...
DESDE QUE PROTEGISTE MI ALMA, ¿NO?

HMMM..
TRAN-
QUILO...
SHIM

¡BIEN! ¡ME HA SALIDO!
QUÉ...
¡¡QUÉ PASADA, ED!!
¿EH?
¡¡TE HA SALIDO IGUAL QUE AL MAESTRO!!

¿TÚ NO PUEDES?
¡CLARO QUE NO!
¡¡ERES EL MEJOR!!
¿TÚ NO LO VISTE?
¿EL QUÉ?
?
?

NADA...
ES IGUAL...
¡¡TE LO DI-JE!!
PLONK
¡NI SE TE OCURRA CARGARTE MI AUTO-MAIL!
ESO HA SIDO TRAI-CIÓN, BU-RRA...
PLAF
PLAF
PLAF
PLAF
¡¡DÉ-JALO COMO ESTA-BA!!
PAF

TAP

BUENAS, TENIENTE CORONEL.

HAS TARDADO TANTO, QUE ME HAN ASCENDIDO A CORONEL.

¿DE VERDAD ESTÁS PREPARADO?
GRRRRR GUAU
¿QUÉ PASA, QUE TENGO QUE VENIR MENEANDO EL RABO?
NO ESTARÍA MAL.
JE...
BUENO, ES HORA DE IRNOS...

¡¡A CENTRAL CITY!!

NO ES MUY HABITUAL QUE SU EXCELENCIA EL GENERALÍSIMO SE PERSONE PARA EL EXAMEN DE INGRESO.
SERÁ PORQUE ACABA DE INCORPORAR A FILAS A UN NIÑO DE 12 AÑOS.
TAP TAP TAP TAP TAP
YA VEREMOS QUÉ PASA AL FINAL.
DICEN QUE ES UN MOCOSO INSOLENTE.

BLAM
ESO ES LO DE MENOS.
SI HAN ENTRADO EN EL EJÉRCITO ES PORQUE LO VALEN, Y SÓLO POR ESO YA MERECEN TODO EL RESPETO.
ZAP

CA-RAM-BA...

LLE-VAS UNA PRÓ-TESIS.

FUE EN LA GUERRA CIVIL DE LAS TIE-RRAS DEL ESTE.

TAP
TAP
TAP
ASÍ QUE LA PER-DISTE EN ISHVAL...
YA VEO.

¡¡FIRMES!!
ZAP

¿Y ÉSTE?
¡ES KING BRADLEY, NUESTRO GENERA-LÍSIMO!
¡EL MAYOR CARGO DENTRO DEL ES-CALAFÓN MILITAR!
AJÁ...

NO TE PONGAS NERVIOSO.
ESTATE TRANQUILO.
¿HAS TRAÍDO LO QUE NECESITAS PARA DIBUJAR EL CÍRCULO DE TRANSMUTACIÓN?
NO NECESITO NADA.

PLAS
FLAASH
¿EH?

!

BZ ZZZ
BZ
BZ
BZZ

NO ESTÁ MAL...

TAP
TAP
!!

CHAAN
¡¡EXCELENCIA!!

FUISH

CREO QUE DEBERÍA RECONSIDERARSE ESTE MÉTODO DE EVALUACIÓN.
PODRÍA HABERLE MATADO DE HABER QUERIDO.

VAYA, HOMBRE, CREO QUE ME HE PASADO...
¡¡ERES UN INSOLENTE!! ¡ESTÁS SUSPENDIDO! ¡SUSPENDIDO!
PUEDE QUE SÍ, HABRÁ QUE REPLANTEÁRSELO...
HMMM.

NO TOMES DECISIONES POR TU CUENTA.
PERO...
HA APROBADO SIN PROBLEMAS EL EXAMEN ESCRITO Y EL PSIQUIÁTRICO, ¿VERDAD?
ACABA DE DEMOSTRAR QUE ES MUY HÁBIL.
Y NO SÓLO ESO...

TIENE AGALLAS.

NO SABE LO QUE LE ESPERA AHÍ FUERA.
?
SHINK

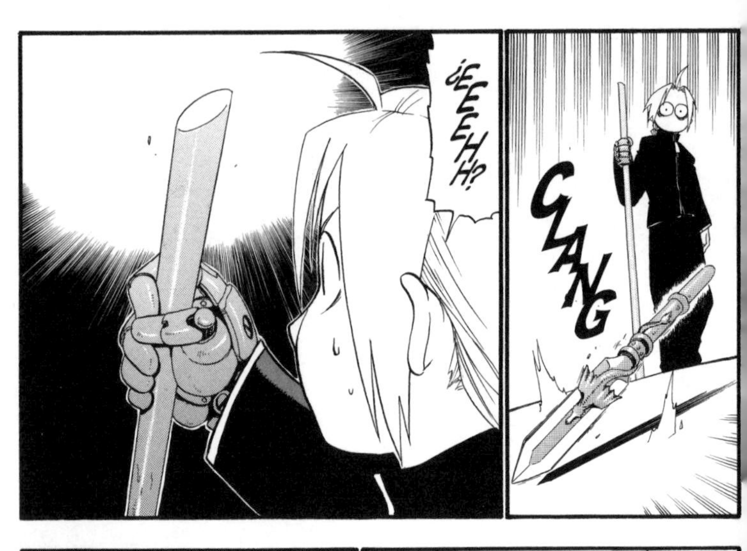
CLANG
¿EEEHH?

ESPERA A QUE SE PUBLIQUEN LOS RESUL-TADOS...
¡JA,
JA,
JA,
JA,
...JOVEN-ZUELO ALQUI-MISTA.
JA,
JA,
JA,
JA!

¿CUÁNDO ME LO HA ROTO?

HA SIDO MUY ENTRE-TENIDO.

LA PRÓXIMA VEZ HARÉ PAGAR LA ENTRADA.
¡JA, JA, JA!
TIENES SUERTE DE SEGUIR CON VIDA DESPUÉS DE HABER APUNTADO CON UNA LANZA AL GENERALÍSIMO.
SI SUPERAS EL EXAMEN, PASARÁS A FORMAR PARTE DEL EJÉRCITO.
PERO SI DEMUESTRAS EL MÍNIMO GESTO DE DESLEALTAD HACIA TUS SUPERIORES, SERÁS EXPULSADO DEL MISMO.
TEN MUCHO CUIDADO.
¿Y USTED QUÉ?

CUANDO HE APUNTADO AL VIEJO ANTES...
SE HA QUEDADO EN SU ASIENTO SIN HACER NADA.

A MÍ NO ME PARECE PROPIO DE UN SUBORDINADO FIEL...
¿HAS OÍDO ESO?
CORONEL... EN CASOS COMO ÉSTE, DEBERÍA MOSTRARSE MÁS INFLEXIBLE.

VAYA...
SI LE HUBIERAS MATADO, HABRÍA QUEDADO UNA VACANTE EN UNO DE LOS CARGOS DE LA CÚPULA MILITAR...
¡¡PARA EL CARRO!!
CARAY, LO QUE HE OÍDO...
NO SÉ QUÉ PASARÍA SI LLEGARA A LAS ALTAS ESFERAS.
¡JA, JA, JA!
MENOS LOBOS, ANDA...

NO ME TIRES DE LA LENGUA.
¿EH?
"NO TRANSMUTAR PERSONAS", "NO TRANSMUTAR DINERO" Y "LEALTAD ABSOLUTA AL EJÉRCITO".
ÉSAS SON LAS TRES REGLAS PRINCIPALES DE TODO ALQUIMISTA NACIONAL.
AUNQUE NO PUDISTE COMPLETARLA, TENDRÍAS MUCHOS PROBLEMAS SI LLEGARAN A DESCUBRIR TU INTENTO DE TRANSMUTACIÓN HUMANA.

A TU HERMANO LO METERÍAN EN UN LABORATORIO PARA REALIZAR INVESTIGACIONES ALQUÍMICAS.
¿LO ENTIENDES?
VAS A TENER TU TÍTULO, Y PARA ELLO DEBERÁS OCULTAR TU PASADO Y FINGIR QUE NO HA PASADO NADA.
AHORA LO QUE MÁS ME INTERESA ES RECOMENDAR A JÓVENES PROMESAS DE LA ALQUIMIA.

SI NADIE SE ENTERA DE TU PASADO, NO HABRÁ PROBLEMAS.
ASÍ QUE INTENTA NO CAUSAR PROBLE-MAS.
¡¡PE-RO SE-RÁ...!!
TODAVÍA FALTA UNA SEMANA PA-RA QUE SE PUBLIQUEN LOS RESUL-TADOS DEL EXAMEN.
VUELVE A EAST CITY Y RELÁ-JATE.

ES DE-MASIADO JOVEN.
NO SUPONE UN PRO-BLEMA.
ESTÁ A UN NIVEL MUY SUPE-RIOR AL DE LOS DEMÁS.

ES PREFERIBLE QUE ESTÉ EN EL EJÉRCITO A QUE ACABE EN ALGÚN OTRO LUGAR.
EN ESE CASO, NO HAY MÁS QUE HABLAR.
BUENO... ¿HAN PENSADO EN CUÁL SERÁ SU SOBRENOMBRE?
SÍ.
ES UN POCO DURO PARA ALGUIEN DE 12 AÑOS, PERO ENCAJA A LA PERFECCIÓN...

EL RELOJ DE PLATA ES TU ACREDITACIÓN COMO ALQUIMISTA NACIONAL.

AQUÍ TIENES TU TITULO Y EL REGLAMENTO.

AHORA NO ME APETECE LEÉRTELOS, YA LO HARÁS TÚ SOLO.
QUÉ POCAS GANAS DE TRABAJAR...

Y...
EL GENERALÍSIMO HA ESCOGIDO PARA TI UN SOBRENOMBRE UN TANTO CURIOSO...

¿CUÁL?
EN FIN.
ENHORABUENA, YA ERES UN PERRO DEL EJÉRCITO.

A VER... ¿ESTO ERA EL TITULO?
TANTO TITULO PARA UNA SIMPLE HOJA DE PAPEL.
SÍ... SE TRATA DE TU SOBRENOMBRE COMO ALQUIMISTA NACIONAL.
A PARTIR DE AHORA TE LLAMARÁS...
POR LA PRESENTE, YO, EL GENERALÍSIMO KING BRADLEY, NOMBRO A EDWARD ELRIC CON EL SOBRENOMBRE DE "ACERO."
¿ACERO?

¡¡EL ALQUI-MISTA DE ACE-RO!!
ME GUSTA CÓMO SUENA...
¡HABRÁ QUE HACERLE HONOR AL NOM-BRE!

CRP

YA NO HAY MARCHA ATRÁS.
NO.
¿POR QUÉ LLORAS?
SNIF
SNIF
ES QUE...
ES QUE...
WUF
NO TIENES REME-DIO...
TAN LLORONA COMO SIEMPRE...
...WIN-RY.
FUOOOSHHHH

Capítulo 25
MAESTRO Y ALUMNO

CHIP
CHIP
CHIP
EAT

BLUF
A TRES CALLES DE AQUÍ...

HAY UNA FUNERARIA... ¡VAMOS A IR A ESCOGER EL TAMAÑO DE VUESTRO ATAÚD!
CREC
CREC
CREC
GLUPS

BASTA DE BROMAS...
BLUF
INTENTASTEIS LA TRANSMUTACIÓN HUMANA A PESAR DE QUE OS DIJE QUE NO LO HICIERAIS...

HABÉIS COMETIDO EL MISMO ERROR QUE YO...

¿USTED TAMBIÉN, MAESTRA?

SOIS TONTOS DE RE-MATE.

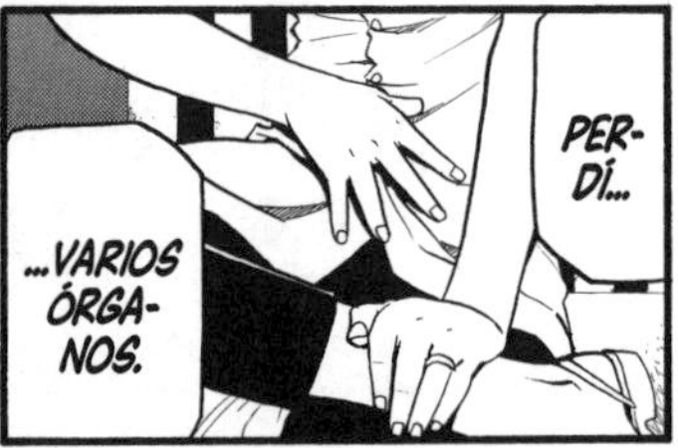
PER-DÍ...
...VARIOS ÓRGA-NOS.

LO SIENTO...

¡IM-BÉ-CI-LES!
LO SIEN-TO.
¡ME-MOS!
PER-DÓN
¡NO-VA-TOS!
¡COMO USTED DIGA!
¡¡CANI-JO!!
S-SÍ...

TUVO QUE SER MUY DURO...
NOS LO BUSCAMOS NOSOTROS SOLOS...
O ESO NOS PARECIÓ...

CIER-TO.
¿A QUE SÍ?
IMBÉCILES...

¿POR QUÉ OS TUVISTEIS QUE ES-FORZAR TANTO?

LO SIEN-TO...
ÑIG
LO SIEN-TO...
PER-DÓN...
PER-DÓN...

Y SI TE HAN NOMBRADO ALQUIMISTA NACIONAL CON 12 AÑOS...

...ES PORQUE ERES UN PRODIGIO.
¿ES PARA TANTO?

NO CREO QUE LO SEA.
TODO PASÓ DESPUÉS DE QUE VIERA AQUELLO...
NO. QUE HAYAS VUELTO PARA CONTAR LO QUE VISTE EN AQUEL LUGAR ES LA PRUEBA DE QUE TIENES ALGO MUY ESPECIAL.

ME HABÉIS DEJADO IMPRESIONADA COMO ALUMNOS QUE SOIS.
PERO TODAVÍA OS FALTA MUCHO.

ESTÁIS EXPULSADOS.

MAES...
AL...

NO OS DI LECCIONES DE ALQUIMIA PARA QUE LE HICIERAIS ESO A VUESTROS CUERPOS.
YA NO SOIS MIS ALUMNOS.

TODAVÍA PO-DÉIS COGER EL ÚLTIMO TREN.
MAR-CHAOS.

GRA-CIAS POR TODO.

SE PUSO ENFERMA CUANDO SE QUEDÓ EMBARAZADA POR PRIMERA VEZ.

DIOS SABE LO QUE SE ESFORZÓ, PERO NO LOGRÓ DAR A LUZ.
DESPUÉS, NO HA PODIDO VOLVER A QUEDARSE EMBARAZADA.
SE PASÓ LA NOCHE PIDIENDO PERDÓN...
NO HABÍA HECHO NADA MALO.

ENTONCES FUE CUANDO SE PLANTEÓ LA TRANSMUTACIÓN HUMANA.
Y YA VEIS EL RESULTADO.
FUI UN IDIOTA POR NO DARME CUENTA.

STATION
VENID A VISITARNOS SI VOLVÉIS POR AQUÍ.
YA.
PERO...

ES QUE NOS HA EXPULSADO...
¿NO?
¡¡CRETINOS!!
¿NO LO HABÉIS ENTENDIDO? LO QUE HABÉIS DEJADO DE SER ES MAESTRO Y ALUMNO.

A PARTIR DE AHORA TENDRÉIS UNA RELACIÓN DE PERSONAS NORMALES.
SALVO QUE TENGÁIS ALGÚN PROBLEMA.
¿LO TENÉIS?

PUES...
FRUS FRUS
JO...

¡AL! ¡¿PARA QUÉ HABÍAMOS VENIDO A DUBLITH?!
¿EH?
¡SIGU, TENEMOS QUE IRNOS!
VENGA.
TAP

¡INTENTAD QUE NO OS MATE!
STATION
¡VALEEE!
TAP TAP TAP TAP TAP TAP TAP

SZUIN
SZUIN
SZUIN
SZUIN
SZUIN
SZUIN
TAP
TAP
TAP
TAP
TAP
TAP
TAP
TAP
¡¡MAESTRO!!
BLAM

¡¿PARA QUÉ NARI-CES HABÉIS VUEL-TO?!
CLANG

¡Y QUÉ MANÍA CON LO DE "MAESTRO"! ¡YA NO SOIS MIS ALUM-NOS!
¡VEN-GA, LAR-GAOS!
BRRR
U-UN M-MO-MENTO...
PLAF
¡¡MAESTRO!!

¡HEMOS VENIDO A BUSCAR UNA SOLU-CIÓN PARA RECUPERAR NUESTROS CUERPOS!
¡Y NO VAMOS A IRNOS CON LAS MANOS VACÍAS!

¡MAR-
CHAOS!

¡¡NO
NOS
VA-
MOS!!

¡OS
CORTA-
RÉ EN
PEDA-
ZOS!
¡¡NO NOS
VAMOS
NI AUN-
QUE
NOS
MUTI-
LES!!
¡¡SI DIGO
QUE OS
VAYÁIS, ES
QUE OS
VAYÁIS!!
¡¡QUE
NO!!

LA MISMA MIRADA QUE AQUEL DÍA...
CABE-ZOTAS...

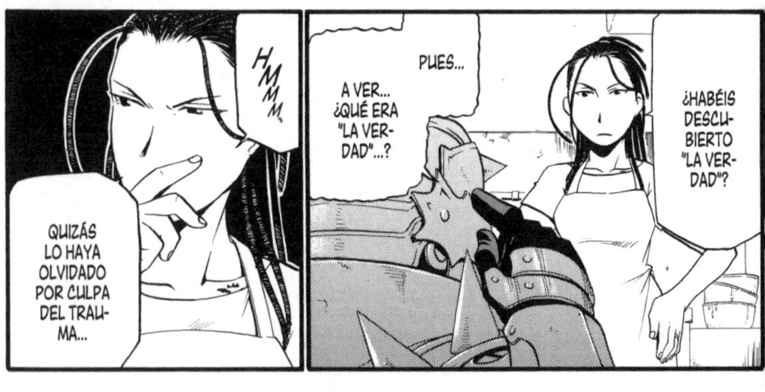
¿HABÉIS DESCU-BIERTO "LA VER-DAD"?
PUES...
A VER... ¿QUÉ ERA "LA VER-DAD"...?
HMMM...
QUIZÁS LO HAYA OLVIDADO POR CULPA DEL TRAU-MA...

VAMOS A VER SI RECUPE-RAMOS LA ME-MORIA DE AL...
COMO PRIMER PASO PARA QUE RECU-PERE SU CUERPO.
¡¡CLARO!!
¡AHORA QUE ME ACUERDO DEL "PRECIO DEL PASAJE", AL FUE EL QUE ESTUVO MÁS CERCA DE "LA VERDAD"!

ENTONCES, SI PUDIERA RECORDAR AQUELLO...
BIEN PENSADO, MIRA QUE QUERER RECORDARLO...
CIERTO....
¿EH? ¿PASA ALGO MALO?
NO LO LLAMARÍA MALO...
PERO ES QUE DA MUCHO MIEDO.
¿SABES?
SÍ.
MUCHO MIEDO.
HACE ASÍ...
CREO QUE NO OS ESTOY SIGUIENDO...

PODRÍAS VOLVERTE LOCO...
O QUEDAR DISCAPACITADO...
GLUPS
A PESAR DE TODO...

¡¡NO ME IMPORTA, SI HA DE SERVIR PARA ALGO!!

BUE-
NO.
VAMOS A
VER CÓMO
PODEMOS
HACER QUE
RECUPERES
LA MEMORIA.
VOY A PRE-
GUNTARLE
A ALGUIEN
QUE QUIZÁ
LO SEPA.

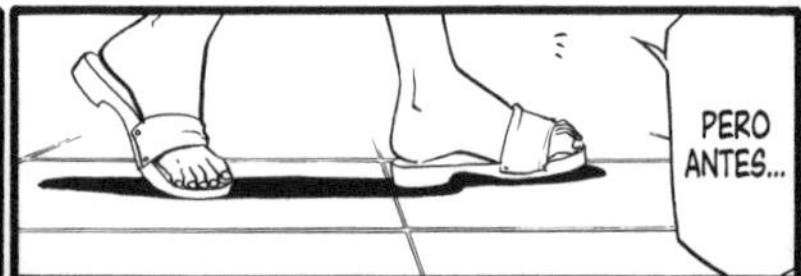
PERO
ANTES...

ME IMA-
GINO QUE
TENDRÉIS
HAMBRE.
AYU-
DADME
A PRE-
PARAR...
LA
CENA.

¿O PENSABAIS
QUEDAROS DE
BRAZOS CRUZA-
DOS HASTA QUE
VOLVIERA?

¡NO OS
QUEDÉIS
AHÍ SEN-
TADOS!
¡SÍ!
¡¡MU-
CHAS
GRA-
CIAS!!

COMMANDING GENERAL
CAMBIO DE ÓRDENES.

A PARTIR DE LA SEMANA QUE VIENE SE TE TRASLADARÁ A CENTRAL.
ENTENDIDO.

TE ECHAREMOS DE MENOS.
TU PASO POR AQUÍ HA SIDO ADMIRABLE.
TAC
NADA COMPARABLE A SUS HAZAÑAS DE JUVENTUD.

YA HAN PASADO UNOS CUANTOS AÑOS DESDE QUE FUI NOMBRADO OFICIAL, ERAN OTROS TIEMPOS...
TAC
HA CAÍDO, GENERAL.
¡CIE-LOS!

GRACIAS A TU DEDICACIÓN, ME HAS AHORRADO MUCHO TRABAJO.
PARA MÍ ES TODO UN HONOR QUE ME HAYA CONFIADO TANTO TRABAJO.
TAC
LE ESTOY MUY AGRADECIDO, GENERAL.

HE OÍDO QUE EN TU LUGAR VENDRÁ EL GENERAL DE DIVISIÓN HAKURO.
NO ME HACE NINGUNA GRACIA, ES DEMASIADO ESTRICTO.
PLAC

LO LAMENTO PROFUNDAMENTE.
TAC
¡JAQUE MATE!
VAYA...

¡HE PERDIDO!
POR FIN LE GANO.
AUNQUE COMO AUTÉNTICO REGALO DE DESPEDIDA HABÍA PENSADO ENTREGARLE LA MANO DE MI HIJA.
ASÍ, SERÍA LA FUTURA PRIMERA DAMA.
LA PRIMERA VICTORIA TRAS 97 DERROTAS Y 15 TABLAS.
PARECE QUE SEA TU REGALO DE DESPEDIDA.
JE, JE... ES UN HONOR PARA MÍ.
NO ADELANTE ACONTECIMIENTOS, MI GENERAL.

EN FIN...
YA QUE ME MARCHO, QUISIERA LLEVAR CONMIGO A CENTRAL A ALGUNOS DE MIS HOMBRES.

NINGÚN PROBLE-MA.
LOS QUE DESEES.
MUCHAS GRACIAS.

¡JAQUE MATE!
¡EY!
TAC

¡TOMA YA, 15 PARTIDAS SEGUIDAS!
ME CAG...
INCREÍBLE...
LAS APARIENCIAS ENGAÑAN, ESTÁ CLARO.

JE, JE.. ¡PARA JUGAR TENÉIS QUE USAR EL COCO, EL COCO!
¿QUÉ ES TODO ESTE ALBOROTO?

¿QUÉ ES ESO?
¿NO LO CONOCE? SE LLAMA "SHOGI".
ES TÍPICO DE UNA ISLA DEL ESTE.

POR SUPUESTO QUE LO CONOZCO.
"SHOGI", JUEGO DE MESA EN EL QUE CADA JUGADOR DISPONE DE 20 FICHAS CON LA ÚNICA FINALIDAD DE APRESAR A LA QUE REPRESENTA AL REY DE SU RIVAL. TIENE SU ORIGEN EN...
BUENO, VALE. ¡SIGUIENTE!
HE VENIDO PARA TRATAR UN ASUNTO.

EL CORONEL NOS RECLAMA.
QUIERE QUE LE ACOMPAÑEMOS.
?
¿A TI... Y A MÍ?
SÍ.

ASÍ...
...DEBERÍA FUNCIONAR.

¡BIEN! ¡SE HA CONECTADO!
¡MUCHÍSIMAS GRACIAS, SARGENTO PRIMERO FURY!
TELEPHO
BLUF
¡ES UN CAMPEÓN!

¡SARGENTO PRIMERO FURY!
TRAINING
POP POP POP
¡SE-ÑOR!

EL CORONEL MUSTANG LE RECLAMA.
AHORA.
¿EL CORONEL?
¿Y ESO?

¡YEEEEPA!
AGH
PLOF

NI RASTRO DEL CADÁVER DE SCAR.
NADA DE NADA.
AAAAAH...

ALFÉREZ HAVOC, DESCANSE UN RATO, QUE YA SEGUIMOS NOSOTROS...
ESTÁ HACIENDO MÁS HORAS DE LAS QUE TENEMOS QUE HACER EL RESTO.
¿NO ME DIGAS? VAYA, HOMBRE.
SI OS PONÉIS ASÍ, YA ME VOY DESCANSAR.
¡MI ALFÉREZ!

¡UNA LLAMADA DEL CORONEL!

BANG
BANG
BANG
BANG

BANG
TCHIK
BANG BANG
ESTUPENDO, RIZA.

TAN BUEN PULSO COMO SIEMPRE.
TODAVÍA TENGO QUE MEJORAR.
TE ACABA DE LLAMAR EL CORONEL.

DICEN QUE SE VA A CENTRAL.
BANG

ENTENDIDO.
TCHAC

¡ATIENDAN!

SARGENTO PRIMERO KAIN FURY.
SÍ, SEÑOR

BRIGADA VATO FALMAN.
SÍ

ALFÉREZ HEYMANS BREDA.
SEÑOR

ALFÉREZ JEAN HAVOC.

TENIENTE RIZA HAWKEYE.

LOS CINCO...
...VAIS A VENIR CONMIGO A CENTRAL.

SI NO HAY NINGUNA OBJE-CIÓN...
¡NOS VA-MOS!
ZA AAK
Yes sir

PERO...
VERÁ, MI CORONEL...
HAY UN PROBLEMA.
¿CUÁL?

¡PRECISAMENTE AHORA ME ACABO DE ECHAR UNA NOVIA!
TSK
CORTE CON ELLA.
ZUUMM
YA ENCONTRARÁ OTRA EN CENTRAL.

ACABABAIS DE EMPEZAR, TODAVÍA NO SE HABÍA CONSOLIDADO VUESTRO AMOR.
¡NO TE PREOCUPES, LO SUPERARÁS!
¡JA, JA, JA!
JO...
PAF
JO...

CARAMBA, QUÉ TARDE SE HA HECHO.

PIERDES LA NOCIÓN DEL TIEMPO CUANDO EMPIEZAS A LEER LIBROS.
¡MIRA QUIÉN FUE A HABLAR!
DUBLITH LIBRARY
VENGA, ¡VAMOS POR EL ATAJO!
SI NO VOLVEMOS PRONTO, EL MAESTRO SE ENFADARÁ.
LA MAESTRA...
TAP TAP TAP TAP
CHANG CHANG CHANG CHANG CHANG

JOVEN...
SÍ, TÚ, EL DE AHÍ...
¿TENÉIS ALGO PARA DARME?
TEP
TEP
TEP

FUUUUUUU
¡BÚSCATE UN TRABAJO Y NO MOLESTES!
¡¿TRABAJO?!

¡QUÉ DESAGRADABLES SOIS!
TEP TEP TEP
¡USTED, EL CABALLERO DE LA ARMADURA!
LO SIENTO, NO LLEVO SUELTO.

¡VAMOS, VAMOS! SEGURO QUE UN ALQUIMISTA NACIONAL ESTÁ FORRADO.
TAP TAP TAP TAP TAP TAP TAP
TEP TEP
NO CONOZCO NINGÚN ALQUIMISTA DE ÉSOS.

NO TE HAGAS EL TONTO.
TEP TEP TEP
TU HERMANO ES MÁS QUE CONOCIDO...

PORQUE TRANSMUTASTE SU ALMA, ¿ME EQUIVOCO?

TAP

¿O NO?

¡VETE A PASEO!

JE,
JE,
ESA ARMADURA...
...ESTÁ HUECA, ¿VERDAD?
JE...

¡¡AARRG!!
PLOOOONK
VÁMONOS, AL.

¡¡ME HAS ROTO LA NARIZ!!
AGH
¡TAMPOCO HACE FALTA QUE TE PONGAS ASÍ!
¡TIENES LA MISMA CARA QUE TU PADRE!

¡¡PERO QUÉ PLASTA!!
PLONG PLONG
¡¡AARRGH!!

JE, JE...
JE, JE, JE...
SI TE LO TOMAS TAN A PECHO, ES QUE TENGO RAZÓN...
ESA ARMADURA NO CONTIENE A UNA PERSONA, ¿VERDAD QUE NO?

POF
¡¿NO TE VAS A CALLAR, O QUÉ?!

CLANG
MIRA, TÍO...

FRUS

CORTA EL ROLLO.
FUOOOOOOOOM

JE, JE, JE...
P-PERDONA...
TAMPOCO QUERÍA...

ZIIP

!!
PLONK
¡¡ERES EL CHAVAL AL QUE TRANS-MUTARON EL ALMA!!
¡LO SABÍA! ¡ESTA-BA EN LO CIERTO!
ZAP
ZAP
CLANG

THONK
¡¡DESGRACIADO!!
¡YEEEEPA!

¡YA ESTOY SATISFECHO!
¡¡ME LARGO!!

¡¿PRETENDES ESCAPAR?!
PLAS
WOOOOOOOO

¡¡SOR-PREN-DENTE!!
¡NO ES PO-SI-BLE!
PE-RO...
TAP
TAP
TAP
¡PERO YO TAMBIÉN TENGO MIS SORPRE-SAS!
TAPTAP

¡¡AHORA SÍ QUE ME LARGO!!
FIUUUUUU

BAR

SHHHHHHH
¿QUÉ HA PASADO AQUÍ?

DEVIL'S NEST
¡TE FELICITO, BIDO!
¡¡MAGNÍFICO, COMO SIEMPRE!!
JE, JE, JE...

MIRA QUE VENIR ELLOS MISMOS A DUBLITH...
EL TRABAJO QUE NOS HAN AHORRADO.
NEWS

ENTONCES, ¿QUÉ HACEMOS?
TRAEDLOS DE INMEDIATO.

USAD LA FUERZA SI SE RESISTEN.
¡PERO OS LO ADVIERTO!

SON NUESTROS INVITADOS ESPECIALES.
NI SE OS OCURRA MATARLOS.

* EJEMPLO DE UNA MALA TRAMA (PÁG. 68 DEL VOLUMEN 4)

ESTE ANO NOS QUEDAMOS SIN PLAYA

¿TÚ TAMBIÉN?

FULLMETAL ALCHEMIST VOL. 6

Agradecimientos especiales a:

- *Keisui Takaeda*
- *Sankichi Hinodeya*
- *Masanari Yukuza*
- *Atsushi Baba*
- *Aiyaboru*
- *Rika Sugiyama*
- *Pokute*
- *Renjuro Kindaichi*

Al editor:
Yuichi Shinomura

¡¡Y A VOSOTROS!!

UNA CUESTIÓN DE OREJAS

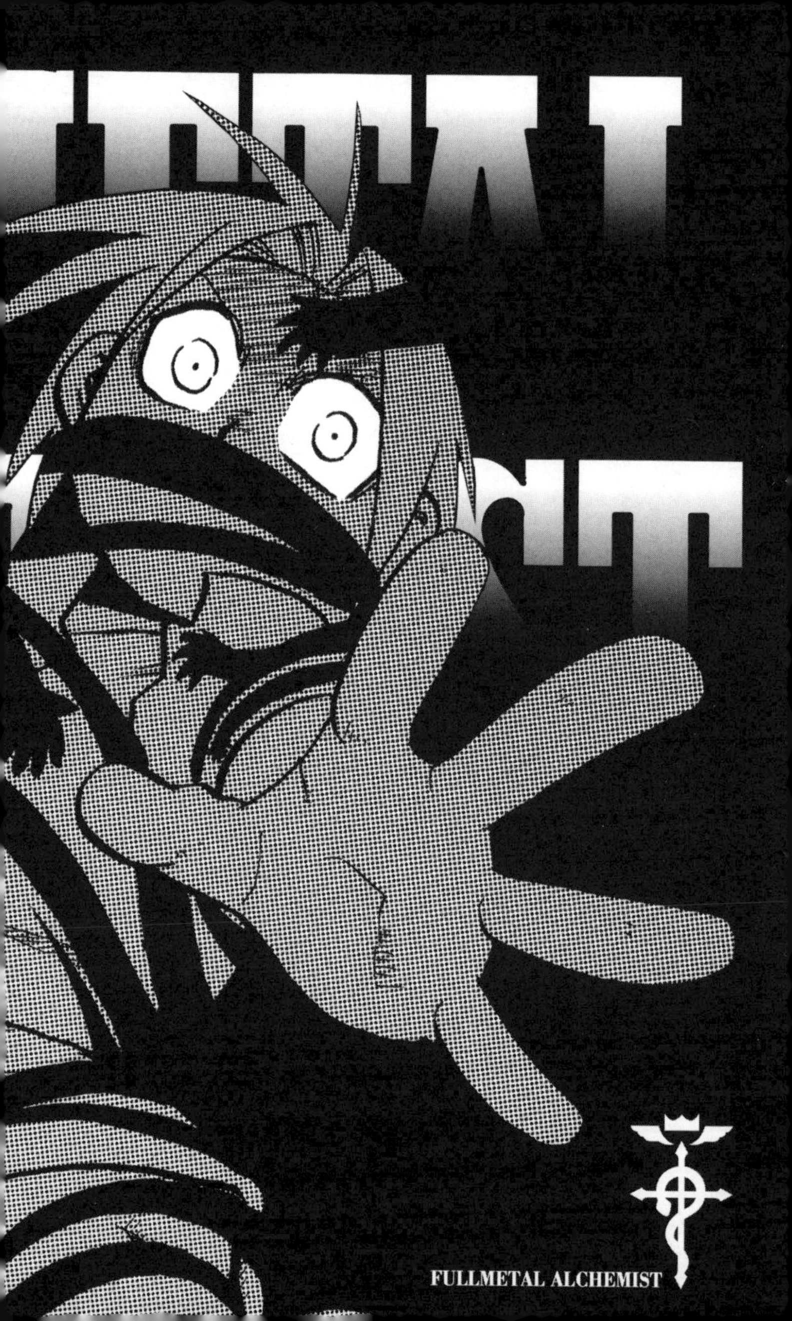
FULLMETAL ALCHEMIST

NORMA Editorial

LAS MEJORES AVENTURAS EN

¡Atención!

¡Este manga está publicado en el mismo sentido de lectura que la edición japonesa!

Tienes que empezar a leer por la que sería la última página de un libro occidental y seguir las viñetas de derecha a izquierda.

FULLMETAL ALCHEMIST vol.6

Título original: "Fullmetal Alchemist volume 6". Segunda edición.

First published in Japan in 2003 by SQUARE ENIX CO., LTD.
Spanish translation rights arranged with SQUARE ENIX CO., LTD. and NORMA EDITORIAL, S.A. through Tuttle-Mori Agency, Inc.

2009 NORMA Editorial por la edición en castellano.
Passeig de Sant Joan 7. 08010 Barcelona.
Tel.: 93 303 68 20. - Fax: 93 303 68 31.
norma@normaeditorial.com
Traducción: Ángel-Manuel Ybáñez - TraduccionesImposibles.com
Realización técnica: Acrobat Estudio.
Depósito legal: B-18378-2007.
ISBN: 978-84-9847-180-9.

Printed in the EU.

www.NormaEditorial.com